Lösungen zu den Fragen der Lese-Rallyes
findest du auf Seite 32.

Das Nachwort für Eltern schließt sich hieran an.

Bibliografische Information der Deutschen Nationalbibliothek
Die Deutsche Nationalbibliothek verzeichnet diese Publikation in der Deutschen
Nationalbibliografie; detaillierte bibliografische Daten sind im Internet über
http://dnb.d-nb.de abrufbar.

Dieses Werk folgt der neuesten Rechtschreibung und Zeichensetzung.

Auflage 3 2 1 | 2011 2010 2009
Die letzten Zahlen bezeichnen jeweils die Auflage und das Jahr des letzten Druckes.
© Klett Lerntraining GmbH, Stuttgart 2009. Alle Rechte vorbehalten.
www.diekleinenlesedrachen.de
Gruner + Jahr AG & Co KG, Hamburg
GEOlino ist eine Marke der Gruner + Jahr AG & Co KG
Teamleiterin Lernhilfen Grundschule: Susanne Schulz
Konzeption und Redaktion: Salomé Dick, Berlin
Umschlaggestaltung und Layout: Sabine Krohberger Grafikdesign, München
Umschlagillustration: Gabie Hilgert, Hamburg
Leitfiguren Drachen: Thomas Thiemeyer, Stuttgart
Satz: Noch & Noch GbR, Balve
Druck: G. Canale & C. S.p.A., Turin
Printed in Italy
ISBN 978-3-12-949012-9

Prinzessin Pepita und die Kuchen-Monster

Nina Weber
mit Bildern von Gabie Hilgert

1.
Schuljahr

Klett Lerntraining

Pepita will backen

Jeden Tag nach dem Unterricht
wird Prinzessin Pepita
von ihrem Leibwächter Georg
zurück ins Schloss gebracht.

Dort sitzt sie allein und traurig
und wünscht sich,
bei ihren Freundinnen zu sein.

Ihre Freundinnen treffen sich
heute in der Bäckerei Brezel.
Dort backen sie jeden Mittwoch
Kuchen oder Kekse.

5

„Ich möchte auch backen",
bittet Pepita ihre Eltern.

Dem König verrutscht
vor Schreck die Krone.
„Prinzessinnen backen nicht!",
erklärt die Königin.

Da beschließt Pepita, zu lügen.
Das gefällt ihr zwar nicht.
Aber sie sieht
keinen anderen Ausweg.

„Mittwochs haben wir jetzt nachmittags Sport", sagt sie. „Georg kann mich erst um 18 Uhr abholen!"

Lese-Rallye: Teil 1

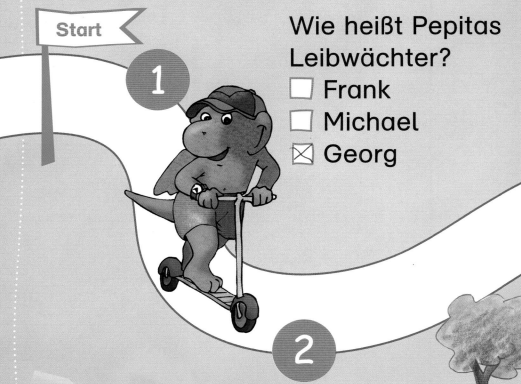

Start

1

Wie heißt Pepitas Leibwächter?
- ☐ Frank
- ☐ Michael
- ☒ Georg

2

Was macht Pepita, um backen zu können?
- ☒ Sie lügt ihre Eltern an.
- ☐ Sie schwänzt die Schule.
- ☐ Sie lädt ihre Freundinnen ins Schloss ein.

Was sagt Pepita ihren Eltern?

☐ Mittwochs habe ich frei.
☒ Mittwochs habe ich Sport.
☐ Mittwochs habe ich Backstunde.

3

Was backen
die Mädchen
in der Bäckerei?

☐ Kekse und Knochen
☐ Kekse und Klapperschlangen
☒ Kekse und Kuchen

Ein Schloss aus Kuchenteig

Am nächsten Mittwoch wollen
die Mädchen ein Schloss backen.
Es soll Mauern haben,
Türme und einen Innenhof.

Wie gut, dass Pepita
eine waschechte Prinzessin ist.
Nur hat sie noch nie
etwas gebacken.

Eier fallen ihr aus der Hand,
Mehl wirbelt um sie herum.
Und das Rührgerät macht,
was es will.

14

Dann wird der Teig
aber doch fertig,
und die Mädchen schieben stolz
das Backblech in den Ofen.

Die Bauteile für das Schloss
werden nun gebacken.

Aber was ist das?
Die Mädchen sind entsetzt!

16

Die Teig-Mauern sehen aus
wie Kuhfladen.
Und alle Türme
sind zerbrochen.

Lese-Rallye: Teil 2

An welchem Tag
backen die Mädchen?

☐ am Samstag
☒ am Mittwoch
☐ am Freitag

1

2

Wie reagieren die Mädchen
auf das Back-Ergebnis?

☐ Sie sind wütend.
☒ Sie sind entsetzt.
☒ Sie freuen sich.

Wie backt Pepita?

- ☒ Sie backt wie ein Profi.
- ☐ Sie backt sehr ungern.
- ☐ Sie stellt sich etwas
  ungeschickt an.

3

Wie sehen
die Teig-Mauern aus?

- ☐ wie leere Luftballons
- ☒ wie Kuhfladen
- ☐ wie Spiegeleier

Pepitas Monster

„Moment mal!", ruft Pepita.
Sie nimmt zwei Kuchenstücke
vom Backblech
und betrachtet sie genau.

„Wenn man etwas Schokolade darübergießt und Lakritz-Schnecken aufklebt ...", murmelt sie.

Kurz darauf zeigt Pepita
den anderen Mädchen
das Ergebnis.
„Wir backen Monster!"

„Na klar!"
Jetzt sind alle mit Feuereifer
bei der Sache.

Später bringt Leibwächter Georg
Pepita ins Schloss zurück.
Ihre Kuchen-Monster hat sie
in der Bäckerei gelassen.

24

„Wie siehst du denn aus?",
fragt der König.
„Du duftest nach Kuchen!",
ruft die Königin.

Pepita beichtet ihnen,
dass sie gelogen hat.
Doch ihre Eltern
sind zum Glück nicht böse.

„Diese Monster möchten wir
auch gerne sehen", sagen sie.
„Back mit deinen Freundinnen
doch mal in der Schlossküche!"

Ein paar Tage später
bringt der Hoflieferant
Mehl, Eier, Zucker und Butter
und viele andere Zutaten.

Prinzessin Pepita und
ihre Freundinnen
feiern fröhlich
ein königliches Monster-Backfest.

Lese-Rallye: Teil 3

1

Wer bringt die Backzutaten
ins Schloss?

- ☐ der König
- ☒ der Hoflieferant
- ☐ Pepitas Freundinnen

2

Wie riecht Pepita?

- ☐ nach Prinzessin
- ☐ nach Lakritze
- ☒ nach Kuchen

Welchen Vorschlag
machen Pepitas Eltern?

☒ Mittwoch wird Backtag für alle.

☐ Backen wird Unterrichtsfach.

☐ Backen in der Schlossküche.

Ziel

3

Was braucht man
für den Monster-Teig?

☐ Gras, Gänseblümchen
und Sand

☒ Mehl, Eier und Zucker

☐ Monsterschleim, Spinnenbeine
und Fischflossen

Lösungen

Lese-Rallye: Teil 1
1. Georg
2. Sie lügt ihre Eltern an.
3. Mittwochs habe ich Sport.
🐻 Kekse und Kuchen

Lese-Rallye: Teil 2
1. am Mittwoch
2. Sie sind entsetzt.
3. Sie stellt sich etwas ungeschickt an.
🐻 wie Kuhfladen

Lese-Rallye: Teil 3
1. der Hoflieferant
2. nach Kuchen
3. Backen in der Schlossküche.
🐻 Mehl, Eier und Zucker

Die kleinen Lesedrachen –
Lesen lernen mit dem Schulbuchprofi.
Mit Sachwissen-Poster von GEOlino

1. Schuljahr:
- kurze Textabschnitte mit hohem Bildanteil für Leseanfänger
- extra große Fibelschrift
- kurze, gegliederte Zeilen
- einfache, klar strukturierte Geschichten
- 32 Seiten

2. Schuljahr:
- längere Textabschnitte mit vielen Bildern für Erstleser
- große Fibelschrift
- längere Zeilen
- komplexere Geschichten
- 32 Seiten

Die kleinen Lerndrachen – Lernen mit System

üben

Übungsbücher mit dem kompletten Stoff eines Fachs pro Schuljahr.

nachschlagen

Der komplette Stoff der Grundschulzeit zum Nachschlagen plus zahlreiche Übungen auf CD-ROM.

testen

Testblock: Zahlreiche Testaufgaben mit Quizcharakter plus Lösungen und ausführlicher Auswertung.

Diese und weitere Klett-Lernhilfen sind im Buchhandel erhältlich.
Weitere Informationen unter **www.diekleinenlesedrachen.de**

Liebe Eltern,

Sie haben sich für ein Buch der **kleinen Lesedrachen** entschieden. Eine gute Wahl, denn mit diesen Erstlesebüchern des Schulbuchprofis Klett unterstützen Sie optimal den Leselern-Prozess Ihres Kindes.

Lesen als Basiskompetenz muss immer wieder trainiert und gefördert werden, damit Ihr Kind zu einem selbstbewussten und kompetenten Leser wird. Dabei darf es jedoch weder überfordert noch abgeschreckt werden.

Die kleinen Lesedrachen bieten Ihrem Kind eine motivierende Rundum-Leseförderung: **Lesen – Verstehen – Wissen und Handeln.** Ihr Kind erfährt durch Erfolgserlebnisse Lesen positiv und anregend und wird so zunehmend zum Lesen verführt.

LESEN

Die spannenden Geschichten der kleinen Lesedrachen fördern die Leselust:

- Geschichten und Themen entsprechen den Interessen und Vorlieben der Kinder.
- Kindgerechte Illustrationen unterstützen und ergänzen den Text.
- Verschiedene Lesestufen bieten den passenden Lesestoff für Leseanfänger bis zum fortgeschrittenen Leser.

Lesestufen

3. Schuljahr **für fortgeschrittene Leser**
längere Texte, Fibelschrift, textbegleitende Bilder, komplexe Geschichten, 48 Seiten

2. Schuljahr **für Erstleser**
längere Textabschnitte, längere Zeilen, große Fibelschrift, viele Bilder, komplexere Geschichten, 32 Seiten

1. Schuljahr **für Leseanfänger**
kurze Textabschnitte, kurze – nach Sinnabschnitten – gegliederte Zeilen, extra große Fibelschrift, hoher Bildanteil, einfache, klar strukturierte Geschichten, 32 Seiten

Erfolgserlebnis: Ich kann lesen!

Das Lesen eines ganzen Kapitels, gar eines ganzen Buches macht Ihr Kind stolz. Dabei können die beschriebenen Lesestufen nur ein Anhaltspunkt sein. Wichtig ist, Ihr Kind nicht zu überfordern und es – eventuell auch mit einem Buch einer niedrigeren Lesestufe – zum Lesen zu motivieren.